Marion Kirchner-Waagindt
Husum, 18, 8, 1992
Antiquariat

Legenden der Christenheit

LEGENDEN
DER CHRISTENHEIT

nacherzählt von
Günter E. Th. Bezzenberger

Omega Verlag Kassel

© Omega Verlag GmbH Kassel, 1987
Satz und Druck:
Druckhaus Thiele & Schwarz GmbH,
Kassel
Buchbinderische Verarbeitung:
Großbuchbinderei Fleischmann, Fulda
ISBN 3-88556-014-3

INHALT

Vorwort 7

Das Gespräch mit dem Kind in der
Krippe 11
Gold, Weihrauch und Myrrhe 14
Die Palme in der Wüste 20
Die Sperlinge aus Ton 23
Die Hochzeit zu Kana 24
Das Kopftuch der Veronika 31
Das blutrote Ei 35
Die Frage der Engel 37
Das Spiel mit dem Rebhuhn 38
Der Schatz der Kirche 39
Katharina von Alexandrien 42
Der dankbare Löwe 47
Der Drache von Silena 50
Gott ist unausschöpflich 55
Der geteilte Mantel 56
Die Decke des Reichen 58
Für andere leben 60
Der Christusträger 62
Das wandernde Körbchen 66

5

Was beten erreicht   67
Das Gebet des Reisigsammlers   69
Den Schöpfer ehren   72
Der Stock im Weinberg   75
Der Traum des Papstes   76
Die Botschaft der Vögel   78
Der Kranke im Frauengemach   82
Die Menschen froh machen   85
Reichtum kann Armut sein   87
Die Gerechtigkeit Gottes   88
So oder anders   91
Wo Himmel und Erde sich begegnen   94
Der Traumladen   95
So sind die Menschen   96
Das eigene Kreuz   97
Drei Steinmetze   99
Das Geheimnis der armseligen Hütte   101

Anmerkungen   105
Bildnachweis   109

VORWORT

Der Titel „Legenden der Christenheit" will andeuten, daß der Band nicht nur einen bestimmten Typus von Legenden enthält, sondern recht unterschiedliche Arten der Überlieferung darbietet, von der Wunderlegende bis zur Anekdote, vom Martyriumsbericht bis zur anonymen „Kalendergeschichte". Dennoch haben die Texte einen gemeinsamen Nenner. Sie sind erzählende Zeugnisse des christlichen Glaubens und ermutigen auf vielfache Weise zur Nachfolge Christi und zum Gotteslob. Sie können zum eigenen Nachdenken und zum Meditieren anregen, und ebenso als anschauliche Beispielerzählungen bei allen Formen der Verkündigung und im Unterricht verwandt werden. Besonders aber wollen sie zum Nacherzählen im eigenen

Stil anregen, wie es die Großmutter Selma Lagerlöfs tat, die ihrer Enkelin am Weihnachtsabend eine Christuslegende erzählte und sie mit den Worten schloß: „Nicht auf Lichter und Lampen kommt es an, und es liegt nicht an Mond und Sonne, sondern was not tut, ist, daß wir Augen haben, die Gottes Herrlichkeit sehen können."

Wer sich intensiver mit den christlichen Legenden befaßt, den überrascht die unübersehbare Zahl der Legendensammlungen aus den verschiedenen Jahrhunderten bis in unsere Gegenwart. Einen besonderen Höhepunkt bedeutet die sog. „Legenda aurea" des Erzbischofs von Genua Jacobus de Voragine, die um 1270 niedergeschrieben wurde und weite Verbreitung fand. In der Neuzeit haben sich viele Schriftsteller und Dichter mit den Legenden und den heiligen Männern und Frauen, deren Leben sie widerspiegeln, befaßt. Erinnert sei an Hermann Hesse und Klabund, Selma Lagerlöf und Gertrud von le Fort, Gottfried Keller und Rudolf Binding – um nur einige zu nennen.

Auffällig ist nun, wie wenig heute allgemein über Leben und Legende der Heiligen bekannt ist, obschon ihre Bilder und Statuen auf Plätzen und an Gebäuden, an Wegen und auf Brücken, in Kirchen und Museen unübersehbar sind. Das weißt auf ein Problem unserer Zeit hin. Der sog. „moderne Mensch" gibt sich weithin gegenwartsorientiert und distanziert zur Geschichte. Damit hat er auch die Überlieferungsquelle christlicher Erfahrung und Ermutigung zum Glauben aus den Augen verloren. Doch scheint sich in unserer Zeit eine Wiederentdeckung der Heiligen und der Legenden, die von ihnen erzählen, anzubahnen, – keineswegs beschränkt auf eine Konfession, sondern in einem ökumenischen Sinn als Entdeckung gemeinsamer Geschichte und Erfahrung. Denn die Heiligen sind, wie es Hans Urs von Balthasar formulierte, „der wichtigste Kommentar zum Evangelium". Sie sind lebendige Predigt der Nachfolge Christi.

Gewiß sind viele Legenden keine Berichte im historischen Verständnis. Zweifellos haben auch besondere Gestalten der Kirchengeschichte auf bereits umlaufende Legenden wie ein Magnet gewirkt und sie an sich gezogen. Dennoch vermitteln sie eine Wirklichkeit und Wahrheit, die abstrakter Rede verschlossen bleibt. Sie bringen Saiten im Menschen zum Klingen, die rationales Erwägen wohl kaum berührt. Darum gilt es, den Reichtum der Legenden der Christenheit zu erhalten und zu pflegen und dem heutigen Menschen wieder nahezubringen.

Hinweis
Die Ziffern in Klammern am Schluß der Legenden verweisen auf die Anmerkungen S. 105 ff.
Biblische Eigennamen werden nach den ökumenischen Loccumer Richtlinien wiedergegeben.

DAS GESPRÄCH MIT DEM KIND
IN DER KRIPPE

Der Kirchenvater Hieronymus wohnte am Ende seines Lebens in einer Höhlenklause, ganz nahe bei der Geburtsgrotte Christi in Betlehem. Er war arm und einsam geworden und sagte den Leuten, die ihn bedauerten: „Es ist besser trockenes Brot zu essen, als den Glauben zu verlieren." Immer wieder sann er in seiner Klause über das Wunder der Geburt Christi nach.

Eines Nachts fand sich Hieronymus plötzlich vor der Krippe, in der frierend das Jesuskind lag. Voll Mitleid sagte er zu ihm: „Ach, Herr Jesus, wie zitterst du in der kalten Nacht und wie hart liegst du auf dem Stroh, um mir zu helfen. Wie kann ich nur dir das vergelten?" Da antwortete das Kind in der Krippe: „Nichts begehre ich von dir, lieber Hieronymus. Doch singe mit den Engeln: ‚Ehre sei Gott in der Höhe und Friede auf Erden bei den Menschen seines Wohlgefallens'. Wenn dir das zu gering erscheint, dann bedenke, ich werde noch viel ärmer sein im Ölgarten und am Kreuz." Doch Hieronymus drängte: „Lieber Jesus, ich muß dir etwas schenken. Ich will dir das letzte Geld geben, das ich besitze." Das Kind antwortete: „Was soll ich mit deinem Geld, sind doch Himmel und Erde mein. Gib, was du hast, den armen Leuten. Das will ich annehmen, als wäre es mir gegeben." – „Gern will ich das tun", sagte Hieronymus, „aber ich möchte dir etwas ganz persönlich schenken, sonst sterbe ich vor Leid." Das Kind antwortete: „Weil du so freigebig bist, will ich dir sagen, was du mir schenken sollst. Gib mir deine Sünde, dein böses Gewissen, deine Verlorenheit." – „Was willst du damit?" fragte Hieronymus. „Ich will deine Last auf meine Schultern nehmen und sie wegtragen. Das soll meine Herrschaft und Tat sein, wie es Jesaja prophezeit hat." Da fing Hieronymus zu schluchzen an und sagte unter Tränen: „Du Kind in der Krippe, wie bewegst du mein Herz. Ich dachte, du wolltest etwas Gutes von mir haben. Doch du nimmst an, was bei mir böse ist. So nimm hin, was mein ist. Gib mir, was dein ist. So bin ich die Sünde los und des ewigen Lebens gewiß." (1)

GOLD, WEIHRAUCH UND MYRRHE

Als die drei Könige zum Stall in Betlehem gelangten, fanden sie das Jesuskind in zerrissene Tücher gewickelt in der Krippe. Maria saß bei ihm in einen armseligen blauen Umhang gehüllt. Die drei Könige dagegen trugen kostbare Gewänder. Melchior, der König von Nubien und Arabien war der Kleinste von ihnen. Balthasar, der König von Saba, war von mittlerer Gestalt, und Kaspar, der König von Tharsis, war hochgewachsen und hatte schwarze Hautfarbe. Die drei Könige waren unermeßlich reich und brachten auf Packtieren große Schätze mit. Die wollten sie dem neugeborenen König, dessen Stern sie gesehen hatten, schenken.

Doch als sie in den armseligen Stall traten, waren sie von dem Licht des Sterns geblendet, das auf das Kind in der Krippe fiel, und so verwirrt, daß sie nicht mehr an all die Schätze dachten, die sie für den Königssohn eingepackt hatten. Jeder griff

nur schnell in eine Truhe, und was ihm
zuerst in die Hände kam, das schenkte er
dem Kinde: Melchior dreißig Gulden, Balthasar Weihrauch und Kaspar Myrrhe.

Die dreißig Gulden trugen das Bild des
König Nimis von Mesopotamien und waren
von Terach, dem Vater Abrahams geprägt
worden. Als Abraham, wie ihm Gott geboten hatte, aus seiner Heimat Ur fortzog,
nahm er die Gulden mit und erwarb damit
in Hebron eine Begräbnisstätte für sich,
seine Frau Sara und seine Söhne Isaak und

Jakob. Mit diesem Geld kauften dann Ismaeliter Josef, Jakobs Lieblingssohn, seinen Brüdern ab, die auf ihn neidisch waren. Die Brüder nahmen dann das Geld nach Ägypten mit, um in der Zeit einer Hungersnot Getreide zu erwerben. Als Jakob, der Vater der zwölf Söhne starb, kaufte Josef damit in Saba Spezereien für sein Begräbnis. So kamen die Gulden in die Schatzkammern Sabas. Mit anderen Kostbarkeiten schenkte sie die Königin von Saba dem König Salomo, als sie ihn in Jerusalem besuchte. Die Gulden wurden im Tempel aufbewahrt und fielen bei seiner Zerstörung in die Hände des Königs von Arabien. Melchior, der Erbe des Königs von Arabien, nahm sie mit auf seiner Reise und schenkte sie dem Jesuskind.

Als nun Maria mit ihrem Kind nach Ägypten fliehen mußte, legte sie die Gaben der drei Könige in ein Tuch und knüpfte es an den Sattel ihres Reittieres. Unterwegs ging das Bündel in der Wüste verloren. Ein Hirte, der mit seinem Vieh umherzog, fand das Tuch mit dem wertvollen Inhalt und

verwahrte es gut. Eines Tages wurde er sehr
krank, und keiner konnte ihm helfen. Da
hörte er von Jesus, der Kranke anrühre und
durch sein Wort heile. Mühsam machte er
sich auf den Weg und traf in Jericho Jesus,
der zum Paschafest nach Jerusalem reiste.
„Erbarm' dich meiner, mach' mich
gesund!" rief er laut. Jesus blieb stehen und
sah den armen, kranken Mann voll Mitleid
an. Dann legte er ihm die Hände auf und
sogleich war der Hirte gesund. Aus Dankbarkeit wollte er Jesus alles schenken, was
er in der Wüste gefunden hatte. Jesus sah

17

auf die Gulden, den Weihrauch, die Myrrhe
und wußte, woher dies alles kam. Er sagte
zu dem Geheilten: „Bringe die Gaben in
den Tempel und lege sie als Dank am Altar
Gottes nieder." Der befolgte, was ihm Jesus
geboten hatte. Ein Priester nahm die reichen
Gaben entgegen und entzündete den Weihrauch in den Räucherpfannen. Die dreißig
Gulden und die Myrrhe verwahrte er. Drei
Tage vor dem Paschafest gab der Hohe Rat
das Geld Judas Iskariot, damit er Jesus
verriete. Als ihn seine Tat reute, warf er die

Gulden den Priestern vor die Füße. Die Priester gaben die Hälfte des Geldes den Soldaten, die Jesus Grab bewachten. Mit dem anderen Teil kauften sie nahe bei Jerusalem einen Acker, auf dem arme Festpilger, die in Jerusalem starben, begraben werden sollten. Nachher kamen die Geldstücke einzeln in viele Hände und ihre Herkunft wurde ganz vergessen. Niemand soll es aber verwundern, daß die dreißig Gulden in der Bibel „Silberlinge" genannt werden. Damals war das der übliche Name für Geld.

Von der Myrrhe wird erzählt, daß ein Teil davon in den Trank gemischt wurde, den man Jesus am Kreuz reichte, als ihn dürstete. Was übrig blieb, habe der fromme Nikodemus für das Begräbnis Jesu verwandt. (2)

DIE PALME IN DER WÜSTE

Als die Königin von Saba wieder in ihr Land zurückkehren wollte, begleitete sie König Salomo bis zu einer Oase mitten in der Wüste. Beim Abschied nahm die Königin einen Dattelkern, legte ihn in die Erde und sprach: „Daraus wird eine Palme wachsen, die so lange grünt und Früchte trägt, bis im Lande Juda ein König ersteht, der größer als Salomo ist." Nun stand die Dattelpalme schon viele hundert Jahre. Sie war mächtig und hoch wie ein Turm geworden.

An einem glühend heißen Tag schleppte sich hungrig und durstig ein Mann zur Oase und zog hinter sich einen Esel, auf dem verhüllt eine junge Mutter und ein kleines Kind saßen. Am Brunnen und im Schatten der Palme wollten sie sich erfrischen und neue Kräfte für ihren weiten Weg nach Ägypten sammeln. Aber der Brunnen war ausgetrocknet und die leuchtenden Früchte der Palme unerreichbar hoch. Der Mann saß mit leerem Blick am Brunnenrand. Die Frau schaute zur Palme und weinte leise vor sich hin. Da lief das Kind zur uralten Palme,

berührte sie und sagte leise: „Palme, neige dich! Palme, neige dich!" Da begannen ihre Zweige zu rauschen und die Palme beugte sich langsam zur Erde, als wollte sie sich vor dem Kind verneigen. Der Mann und die Frau waren voller Staunen und dankten Gott für das rettende Wunder. Mit dem Kind konnten sie sich an den frischen Datteln laben und die Reisesäcke füllen. Bevor sie aufbrachen berührte das Kind die Palme und sagte leise: „Palme, erhebe dich! Palme, erhebe dich!" Da begann der Stamm sich wieder langsam aufzurichten.

Karawanen, die nach einiger Zeit zur Oase kamen, wunderten sich, daß sie viel Wasser im Brunnen fanden. Doch die Zweige der Palme und die Datteln lagen verdorrt auf der Erde. Nur der Stamm stand noch aufrecht wie ein Malzeichen in der Wüste. (3)

DIE SPERLINGE AUS TON

Fünf Jahre war Jesus alt, als er an einem Sabbat mit anderen Kindern an einem Bach spielte. Aus Lehmschlamm formte er zwölf Sperlinge und ließ sie in der Sonne trocknen. Das sah ein gesetzestreuer Jude und war empört. Er lief zu Josef, dem Vater Jesu, und rief ihm zu: „Denk dir nur, dein kleiner Sohn hat aus Ton Sperlinge geformt und so den Sabbat entweiht!" Josef eilte mit einigen Nachbarn, die sich hinzugesellten, zum Bach und herrschte ärgerlich sein Kind an: „Warum hast du das getan? Weißt du nicht, daß man am Tag des Herrn nicht arbeiten darf?" Der kleine Jesus gab keine Antwort sondern klatschte in die Hände und rief seinen Sperlingen zu: „Fliegt fort und denkt an mich, solange ihr lebt!" Da flatterten sie mit den Flügeln und flogen davon. Als das die gesetzestreuen Juden sahen, erschraken sie und berichteten ihren Obersten, was Jesus getan hatte. (4)

DIE HOCHZEIT ZU KANA

Nach dem Tode des greisen Apostels Johannes in Ephesus fand man in seinem Hause ein Bündel Papyrus- und Pergamentblätter mit Notizen und Berichten von verschiedener Hand. Ein Schüler des Johannes ordnete die Blätter und entdeckte dabei drei Erinnerungen an die Hochzeit zu Kana. Was er gelesen hatte, schrieb er später aus dem Gedächtnis nieder.

Das erste Blatt

In unserem Bergdorf Kana war Hochzeit angesagt. Das ist stets eine Festwoche für den ganzen Ort, und von weither kommen die Verwandten und Freunde. Ich war dazu bestimmt, das Fest vorzubereiten und darauf zu achten, daß die Gäste sich wohlfühlten. Überall mußte ich meine Augen haben und zupacken, denn es war eine große Hochzeit.

Auch der Rabbi Jesus aus Nazaret war eingeladen, er, seine Jünger und seine Mutter Maria. Wir freuten uns, daß er zugesagt hatte, und er freute sich mit der fröhlichen Gesellschaft. Er war ja kein Schriftgelehrter, der hart und freudlos nur das Gesetz predigte.

Mitten in der Festwoche geschah etwas sehr Peinliches für mich, den Speisemeister. Es waren mehr Gäste gekommen, als wir erwartet hatten, und nun ging der Wein zur Neige. Ich war verzweifelt. Was sollte ich nur tun? Doch dann brachten plötzlich die Diener Kannen mit einem Wein, der viel besser war als der, den ich gekauft hatte. War er vom Bräutigam besorgt worden, ohne daß ich es wußte? Ich sagte leise zu ihm: „Jeder gibt doch erst den besseren Wein, so lautet das Sprichwort, und wenn die Gäste angeheitert sind, dann kann man den geringeren ausschenken." Er zuckte mit den Achseln und verstand mich nicht.

Ich hörte herum und erfuhr, daß Jesus die großen Krüge, die für die Waschungen vor dem Hause standen, mit frischem Wasser hatte füllen lassen. Als die Diener mit ihren Kannen daraus schöpften, war es wunderbarer Wein, – mehr als genug für die letzten Festtage. An die sechshundert Liter faßten die großen Gefäße. Ein Wunder hatte dieser Gottesmann vollbracht und uns gezeigt, daß Gott uns fröhlich machen will.

Das andere Blatt

Auch ich war zur Hochzeit nach Kana eingeladen. Nathanael, der Gefährte meines Sohnes, war nach Nazaret gekommen und hatte mich auf dem Weg begleitet. Ich freute mich, meinen Sohn wiederzusehen, – ja, meinen Sohn, der uns fremd geworden war und uns so unruhig machte. „Wer Vater und Mutter mehr liebt als mich", hat er gesagt, „der ist meiner nicht würdig." Und Mutter, Brüder und Verwandte nannte er, die Gottes Wort hören und danach handeln. Damals war es schwer für mich, ihn zu verstehen. Und woher nahm er die Kraft, um Wunder zu tun?

Es war eine schöne und fröhliche Hoch-
zeit in Kana. Aber an einem Tage merkte ich
Unruhe bei denen, die uns bedienten. „Der
Wein geht aus – was nun?", hörte ich sie

tuscheln, und ich sorgte mich, das schöne Fest könnte traurig zu Ende gehen. Neben mir saß mein Sohn. Könnte er nicht helfen, daß alle fröhlich blieben? Ich wußte nicht, worum ich ihn bitten sollte und sagte nur, woran es mangelte: „Sie haben keinen Wein mehr." – „Mali valach", antwortete er kurz in unserer Sprache und meinte damit: was du erwartest, das kann ich nicht von mir aus tun. Er fügte noch leise hinzu, es klang so fremd und wie aus einer anderen Welt: „Meine Stunde ist noch nicht gekommen." Später habe ich verstanden, was er damit meinte. Er war eins mit seinem himmlischen Vater und ihm allein gehorsam. Das war seine Kraft bis zu dem Augenblick, als ich unter seinem Kreuz zusammenbrach und noch seine letzten Worte hörte: „Es ist vollbracht."

Damals in Kana bat ich die Diener: „Was er euch sagt, das tut." Ich hoffte, seine Stunde käme, die Hilfe bringt, wo Mangel herrscht. Sie kam und unbemerkt geschah das Wunder. Das ließ uns Gottes Kraft in unsrem kleinen Leben ahnen.

Das dritte Blatt

Ich, Nathanael, Zeuge der Auferstehung des Herrn und sein Apostel, war mit IHM in meinem Heimatdorf Kana in Galiläa. Damals begann ich zu ahnen, Jesus, der Rabbi aus Nazaret, ist mehr als ein begnadeter Lehrer. Der Glanz des Herren über Himmel und Erde – sein Name sei gelobt – war offenbar in IHM. Wir haben viele andere Wunder miterlebt, die ER vollbrachte. Doch das Weinwunder in Kana, wie bald darauf die Speisung der Fünftausend mit wenigen Broten und Fischen, sind mir zum Zeichen eines größeren Wunders geworden, an dem wir teilhaben. Wenn wir in seinem Namen zusammenkommen, brechen wir das Brot und essen gemeinsam davon. Wir segnen den Kelch und trinken alle daraus. Und wir gedenken seiner Worte: „Das ist mein Leib – für euch gegeben. Das ist mein Blut – für euch vergossen. Das tut zu meinem Gedächtnis." Und wir, in seinem Namen versammelt, werden gewiß, ER ist in unserer Mitte, ER stärkt und ER verbindet uns, ER gibt sich uns in überreichem Maße. Was bedeuten da sechs Krüge voll Wein? Zeichen nur sind sie seiner Macht. Christus der Herr ist bei uns alle Tage. Das macht uns fröhlich wie bei einem Hochzeitsmahl. Das läßt uns auf die ewige Gemeinschaft mit IHM hoffen, die ER verheißen hat. Gnade sei mit allen, die von der Hochzeit zu Kana hören und das Wunder bedenken, das dort geschah. (5)

DAS KOPFTUCH DER VERONIKA

Von Judäa, Galiläa und aus der Diaspora waren viele tausend jüdische Pilger nach Jerusalem geströmt, um im Tempel Opfer darzubringen und das Paschafest zu feiern. Auf allen Gassen und in den Herbergen waren Neuigkeiten zu hören:

„Er ist auf einem Esel in die Stadt geritten und wurde als der Messias begrüßt."

„Er hat die Geldwechsler und Händler aus dem Tempel getrieben."

„Man hat ihn verhaftet."

„Er soll gekreuzigt werden."

Da kam ein Trupp Legionäre und drängte mühsam und roh die Menschenmenge zur Seite, die den Rabbi Jesus von Nazaret sehen wollte, von dem die Rede war. Dann kam er durch die Mauer der Leute, die ihn angafften und verspotteten. Ein Seil hatte man um seinen Leib gebunden. Ein Legionär zerrte ihn vorwärts. Gebückt und keuchend schleppte er den schweren Kreuzesbalken. Er trug eine Dornenkrone, Blut floß von seiner Stirn.

Die Witwe Veronika stand vor ihrem kleinen Haus im Knäul der Menschen. Unmittelbar vor ihr brach Jesus zusammen. Der Kreuzesbalken schlug auf das Pflaster. Die gaffende Menschenmenge verstummte und wartete gespannt, was nun geschähe. Veronika sah den Blutenden und Zusammengekrümmten, der zum Tode verurteilt war. Voll Mitleid löste sie sich aus der Menge, nahm ihr weißes Kopftuch und drückte es dem Gequälten sanft in das Gesicht, um Schweiß und Blut abzutrocknen und ein wenig die Schmerzen zu lindern. Die Legionäre zerrten fluchend den Mann wieder hoch. Aus der Menge griffen sie sich einen, Simon von Zyrene, der den Kreuzesbalken nachtragen mußte. Bevor Jesus mit Faustschlägen weitergetrieben wurde, schaute er auf Veronika. Dieser Blick, warm, dankbar und wie ein Segen, erschütterte sie, und sie erkannte in Jesus den leidenden Gottessohn, der die Sünde der Welt trägt.

Bewegt ging Veronika in ihr Haus zurück. Als sie ihr Kopftuch zusammenfalten

wollte, sah sie darauf das Bild des leidenden Christus abgebildet. Ihr Mitleid und ihr Wunsch zu helfen hatten ein Wunder bewirkt. Später wurden dann viele Kranke gesund, die das Antlitz Christi auf dem Kopftuch der Veronika betrachteten. (6)

DAS BLUTROTE EI

Jesus hatte Maria aus Magdala am See Genezareth von böser Besessenheit befreit. Danach gehörte sie zu den Frauen, die ihn und seine Jünger begleiteten und nach ihrem Vermögen unterstützten. Voll

Hingabe folgte sie ihm bis unter das Kreuz auf Golgatha und wurde erste Zeugin seiner Auferstehung. „Ich habe den Herrn gesehen", blieb ihre frohe Botschaft solange sie lebte. Aus der Heimat als Christin vertrieben, verkündete sie im fernen Massilia die Auferstehung des Herrn, und viele ließen sich taufen.

Eines Tages besuchte der römische Kaiser die Hafenstadt Massilia. Maria Magdalena wurde vor ihn gebracht und über ihren Glauben verhört. Als sie von der Auferstehung Christi sprach und bezeugte: „Ich habe den Herrn gesehen!", schüttelte der Kaiser unwillig den Kopf. „Das sind nur Märchen und Träume, die du für wahr hältst", sagte er zu ihr. Maria Magdalena nahm ein blutrot gefärbtes Ei aus ihrem Gewand, hob es hoch und antwortete dem Kaiser: „Wenn aus diesem Ei Leben hervorbrechen kann, warum sollte nicht aus dem Stein des Grabes das Leben hervorgehen?" Verwundert über ihren festen Glauben ließ der Kaiser sie gehen. (7)

DIE FRAGE DER ENGEL

Der zum Himmel auffahrende Christus wurde von den Engeln, die ihn begleiteten, gefragt: „Was wird aus dem Werk, das du auf Erden begonnen hast, wenn du im Himmel bist? Werden nicht bald deine Worte und Taten, dein Leben und Leiden vergessen sein?" Christus zeigte auf seine Jünger, die vom Berg der Himmelfahrt hinabstiegen, und sagte: „Ich habe meine Jünger! Sie habe ich in alle Welt gesandt." Doch die Engel fragten weiter: „Aber, Herr, wenn die versagen, welchen Plan hast du dann?" Dem Himmel nahe antwortete Christus: „Ich habe keinen anderen Plan!"

DAS SPIEL MIT DEM REBHUHN

Der greise Apostel Johannes saß eines Tages vor seinem Haus und spielte mit einem zahmen Rebhuhn. Da kam ein Jäger vorbei, sah das und schüttelte verwundert den Kopf. „Warum vergeudest du bloß deine Zeit mit solcher Spielerei?", fragte er den frommen alten Mann. Johannes entgegnete: „Sag' mir, warum trägst du nicht immer deinen Bogen gespannt in der Hand?" – „Das darf man nicht", erwiderte der Jäger, „er verliert sonst seine Spannkraft, und dann würde kein Pfeil mehr weit genug fliegen." Johannes antwortete: „Wenn es so ist, dann nimm auch keinen Anstoß an meinem Spiel. Entspannt sich nicht mein Geist ab und zu ein wenig, verliert er durch unablässige Anstrengung seine Kraft, und das Denken verfehlt sein Ziel." (8)

DER SCHATZ DER KIRCHE

Unter den Christen in Rom lebte ein junger Mann, der aus Spanien stammte und Laurentius hieß. Er war fromm und hilfsbereit und gehörte zu den sieben Diakonen, die Bischof Sixtus eingesetzt hatte, um die Armen in der Gemeinde zu pflegen und Almosen zu verteilen.

In jener Zeit begann Kaiser Valerian die Christen wegen ihres Glaubens zu verfolgen. Auch Bischof Sixtus wurde gefangengenommen und zum Tode verurteilt. Er hatte sich geweigert, dem Kaiser zu opfern. Als man Sixtus zur Hinrichtung führte, rief ihm Laurentius zu: „Vater, laß mich dir folgen und mit dir sterben!" Sixtus aber sagte zu ihm: „Bleibe du bei der Gemeinde, solange es Gott gefällt! Ich vertraue dir die Schätze der Kirche an und alles, was uns für die Armen gegeben wurde. Verwalte es recht. Auch du wirst als Christ leiden müssen, aber Gott wird dir beistehen." Als die Kriegsknechte hörten, daß von Schätzen und Geld die Rede war, nahmen sie sogleich Laurentius fest und brachten ihn zum Kaiser. Der wollte nun unbedingt wissen, wo die Reichtümer der Kirche versteckt seien, um sie an sich zu bringen. „Wenn du mir den ganzen Kirchenschatz auslieferst, schenke ich dir Leben und Freiheit", versprach er dem Festgenommenen. Laurentius antwortete: „In der Tat besitzt die Kirche einen ganz besonders kostbaren Schatz. Aber er ist nicht an einer Stelle verborgen, sondern in vielen Gassen der Stadt verteilt. Soll ich ihn zusammentragen und zu dir bringen, so brauche ich drei Tage Zeit." Der Kaiser willigte ein und gab ihn frei.

Laurentius lief nun eilig bei Tag und Nacht durch die Stadt und verschenkte das Gut der Kirche an die Notleidenden der Gemeinde. Am dritten Tag aber rief er die vielen Armen, Kranken und Verachteten, die auf Christus ihre Hoffnung setzten, zusammen und zog mit der ganzen Schar vor den kaiserlichen Palast. Als der Kaiser heraustrat, um die Reichtümer der Kirche zu empfangen, rief ihm Laurentius zu: „Hier bringe ich dir den Schatz der Kirche. Achte ihn nicht gering! Denn der Glaube, den diese Schar im Herzen trägt, ist kostbarer als Gold und Silber und Diamanten." Zornig fiel ihm der Kaiser ins Wort: „Du hast mich betrogen, willst du mich jetzt auch noch verhöhnen?" Die Palastwache ergriff Laurentius und wollte ihn zwingen, seinem Christenglauben abzuschwören und den Kaiser anzubeten. Doch Laurentius rief: „Sagt mir, wen soll man anbeten, den Schöpfer oder das Geschöpf?" Der Kaiser schäumte vor Wut. Er befahl, einen eisernen Rost herbeizubringen. Mit Ketten wurde Laurentius auf den Rost gebunden und dann ein Feuer darunter entfacht. Standhaft ertrug er die furchtbaren Qualen und starb mit den Worten: „Herr, ich danke dir, daß ich in dein Reich kommen darf."

Das Martyrium des Laurentius ermutigte die Gemeinde, auch in der Verfolgung standhaft zu bleiben. (9)

41

KATHARINA VON ALEXANDRIEN

Nach dem Tode ihres Vaters, König Costus, lebte die junge, stolze Prinzessin Katharina in einem Palast zu Alexandrien. Sie war außergewöhnlich schön, sehr reich und hochgebildet. Als sie einem Einsiedler begegnete, der ihr eindringlich von Christus erzählte, verlor sich ihr Stolz. Sie ließ sich taufen und hing mit großer Hingabe und Entschlossenheit an Christus, dem sie sich angelobt hatte.

Eines Tages zog der römische Kaiser Maxentius in Alexandrien ein und forderte von allen Bewohnern der Stadt, vor dem Bildnis des Kaisers Weihrauch zu opfern. Viele Christen, die sich weigerten, wurden im Zirkus wilden Tieren vorgeworfen. Als Katharina davon hörte, ging sie in den Palast des Kaisers. Der und alle, die ihn umgaben, waren überrascht von der Schönheit und dem Mut der jungen Frau. Katharina wandte sich zu Maxentius und sprach ihn an: „Erhabener Kaiser, warum verlangst du vom Volk, daß es vor deinem Bildnis opfere? Sieh an den Himmel, die Erde, das Meer und alles, was darin lebt. Es ist geschaffen wie du. Schau' an die Gestirne am Himmel, die Sonne, den Mond und die Sterne, die von Anbeginn der Welt glänzen und Tag und Nacht ordnen. Sind sie nicht mächtiger und größer als du? Über allem aber, was geschaffen ist, waltet der eine Gott, der Schöpfer des Himmels und der Erde. Ihn, dem kein andrer gleicht, sollst du ehren und anbeten und keine anderen Götter neben ihm haben." Katharina sprach dann beredt von der Menschwerdung des Gottessohnes zum Heil und zur Rettung aller Menschen und bekannte sich als Christin. Der Kaiser war verwundert und betroffen von der klugen und leidenschaftlichen Rede der anmutigen Katharina und wollte ihr beweisen lassen, daß sie falscher Lehre und Aberglauben anhinge. Darum ließ er fünfzig Philosophen herbeibringen, die mit Katharina disputieren und ihren Glauben widerlegen sollten. Tapfer trat sie in deren Mitte und zerpflückte voll Klugheit und Überzeugungskraft alle Argumente und Einwürfe. Die Philosophen gerieten in Staunen, wurden nachdenklich und wandten sich schließlich allesamt der Botschaft von Christus zu.

Der Kaiser erfuhr dies, geriet in großen Zorn und ordnete an, die Philosophen mitten in der Stadt zu verbrennen. Katharina belehrte sie weiter im Glauben und machte sie standhaft für das Martyrium. Da sie beklagten, ungetauft sterben zu müssen, tröstete Katharina sie: „Fürchtet euch nicht, denn euer Blut wird euch taufen und krönen!" Auch was Katharina tat, wurde dem Kaiser hinterbracht. Er ließ sie auspeitschen bis sie am ganzen Körper blutete und ohne Nahrung in ein dunkles Verließ sperren.

Die Kaiserin hatte viel über Katharina gehört und war von ihrem Mut angerührt. Als der Kaiser für einige Tage die Stadt verlassen hatte, stieg sie nachts mit dem Obersten der Palastwache zum Verließ hinab und war erstaunt, daß Katharinas Wunden verheilt waren und sie blühend

und frisch aussah. Bis der Morgen graute, redete Katharina mit den beiden über den Glauben an Christus und bekehrte sie. Was er gehört und erlebt hatte, sagte der Oberste der Palastwache den zweihundert Mann weiter, die er befehligte, und auch sie bekannten sich zu Christus.

Von all dem hörte der Kaiser nach seiner

Rückkehr. Er schäumte vor Zorn und Wut und ließ die Kaiserin und die ganze Palastwache grausam töten. Dann befahl er, Räder mit scharfen Messern und spitzen Nägeln anzufertigen, die Katharinas Leib zerfetzen sollten. Als man sie zum Martergerät führte, zuckte ein Blitz aus dem Himmel und zerschlug die Räder in viele Stücke. Der Kaiser gebot nun dem Henker, Katharina zu enthaupten. Mutig neigte sie ihr Haupt und empfing den Todesstreich. Da öffnete sich der Himmel und Engel kamen herab. Sie trugen Katharinas Leichnam zum Berg Sinai und legten ihn dort nieder, wo einst Gott aus dem brennenden Dornbusch zu Mose gesprochen hatte.

DER DANKBARE LÖWE

Der heilige Gerasimus war Abt eines Klosters, das unweit vom Jordan lag. Eines Tages ging er am Fluß entlang und hörte einen Löwen laut vor Schmerz brüllen. Er blieb stehen und horchte. Da kam der Löwe mühsam herangehumpelt, bat winselnd um Hilfe und streckte seine dick geschwollene und eiternde Tatze hin. Darin stak ein langer Dorn, in den er getreten war.

Gerasimus hatte Mitleid mit dem hilflosen Tier, hockte sich nieder, schnitt mit einem Messer den Fuß auf und drückte den Dorn und den Eiter heraus. Dann wusch er die Wunde sauber und verband sie mit einem Leinentuch. Als er aufstand und ins Kloster zurückkehren wollte, folgte ihm der Löwe und blieb nun stets bei ihm. Alle, die davon hörten, waren verwundert über die Dankbarkeit des Tieres.

Das Kloster hatte auch einen Esel, der morgens und abends vom Jordan Wasser holen mußte. Tagsüber schickten ihn nun die Mönche unter der Obhut des Löwen zum Grasen auf die Uferweiden. Doch einmal hatte sich der Esel weit vom Löwen entfernt und war an die Furt gekommen, als gerade eine Karawane aus Arabien den Fluß durchquerte. Die Treiber sahen den herrenlosen Esel und nahmen ihn mit. Gegen Abend kam der Löwe ohne den Esel ins Kloster zurück und lief mit traurigem Blick zum Abt Gerasimus. „Wo ist der Esel?" fragte er ihn. Der Löwe blieb mit gesenktem Haupt vor ihm stehen. „Du hast ihn gewiß gefressen", sagte Gerasimus, „dafür sollst du nun künftig seine Arbeit tun!" Der Löwe mußte fortan die Fässer schleppen und das Wasser vom Jordan holen.

Nach einiger Zeit kam ein Fremder zum Kloster und sah den Löwen, der sich mit den Fässern auf dem Rücken quälte. Als man ihm den Grund erzählte, hatte er großes Mitleid mit dem Tier. Er zog drei Goldstücke aus der Tasche und gab sie den Mönchen, damit sie einen Esel kauften und den Löwen freiließen. Und so geschah es dann.

Auf dem Rückweg kam die Karawane, die den Esel gestohlen hatte, wieder zur Jordanfurt. Der Löwe war in der Nähe und sah plötzlich seinen früheren Gefährten. Er brüllte auf und lief auf die Treiber zu, die schnell davonrannten. Dann nahm er, wie er es früher gewohnt war, das Halfterband des Esels ins Maul und brachte ihn, dazu drei der Kamele, ins Kloster. Als er Gerasimus sah, brüllte er vor Freude. Der Abt war tief betroffen, daß er dem Löwen unrecht getan hatte. Er kniete nieder und streichelte lange seine Mähne. Und wie früher blieben Gerasimus und der Löwe unzertrennliche Freunde. (11)

DER DRACHE VON SILENA

Einst lebte ein schrecklicher Drache, den niemand überwinden konnte, bei der Stadt Silena im Lande Lybia. Er hauste in einem See, und wenn er ihn verließ, fraß er alles, was er fand, Mensch und Vieh. Fand er nichts mehr auf dem Feld, dann kroch er vor die Mauern der Stadt und verpestete sie mit seinem Gifthauch, der viele Bewohner tötete. Um den Drachen zu besänftigen, legten die Bürger der Stadt jeden Tag zwei Schafe an den See. Doch bald gab es kein Vieh mehr in der Stadt. Verzweifelt beschlossen darum die Einwohner von Silena, täglich solle durch das Los ein junger Mensch als Opfer für den Drachen bestimmt werden. Nachdem fast alle Söhne und Töchter der Stadt dem Drachen hingegeben waren, fiel das Los auf die einzige Tochter des Königs. Der bat in seiner Bedrängnis: „Nehmt all mein Gold und Silber, dazu die Hälfte meines Königreiches, aber laßt mein einziges Kind am

Leben." Das Volk murrte und wandte sich gegen den König: „Du selbst hast das Gesetz unterschrieben, durch das wir bisher unsere Kinder opferten. Nun ist dein Haus an der Reihe. Gibst du deine Tochter nicht heraus, werden wir dich töten." Als der König sah, daß er nichts ausrichten konnte, bat er das Volk: „Laßt mir noch acht Tage Zeit, um mein großes Unglück zu beweinen und Abschied von meiner Tochter zu nehmen." Die Menge willigte ein. Acht Tage danach stand das Volk wieder vor dem Palast und forderte: „Gib uns jetzt deine Tochter heraus, sonst sterben wir alle am Gifthauch des Drachen." Machtlos, seine Tochter zu retten, klagte der König voll Schmerz: „Ach wie sehr hoffte ich, dich, meine Tochter, zu vermählen und Nachkommen für meinen Thron zu haben. Nun aber sollst du dem furchtbaren Drachen hingegeben werden. Wäre ich doch vor dir gestorben, um diesen Tag nicht zu erleben." Dann küßte er sie und gab ihr seinen Segen. Man öffnete das Stadttor, und sie ging allein zum See hinab.

Da kam Ritter Georg, der sich Christus angelobt hatte, dahergeritten und sah die weinende Königstochter. Er stieg vom Pferd und fragte, was sie so quäle. „Steigt schnell wieder auf, Ritter, und reitet rasch davon", antwortete sie, „sonst werdet ihr mit mir verderben!" – „Warum sollte ich umkommen? Sagt mir doch, was geschehen ist!" Die Königstochter berichtete eilig von dem Drachen, der die Stadt bedrohe und daß sie nun für ihn als Opfer bestimmt sei. „Seid ohne Furcht", sagte Georg zu ihr, „ich will euch im Namen Jesu Christi helfen." Schon hob der Drache sein schreckliches Haupt aus dem See. Die Königstochter schrie auf: „Flieht, flieht, so schnell ihr könnt!" Aber Georg sprang auf sein Pferd, bekreuzigte sich, ritt auf den Drachen los und stieß seine Lanze tief in ihn hinein. Leblos fiel er zu Boden.

Auf den Mauern der Stadt standen viele Leute und hatten staunend dies alles miterlebt. Als nun Georg mit der Königstochter in die Stadt kam, umjubelten sie ihn und priesen seinen Mut und seine Stärke. Er aber hob die Hand und bat um Stille. Dann sagte er mit lauter Stimme zum Volk: „Preist nicht mich! Gott der Herr hat mich zu euch geführt und mir die Kraft gegeben, euch von dem tödlichen Drachen zu befreien. Glaubt darum an Gott, der Christus zu unserem Heil auf die Erde gesandt hat. Bekennt euch zu Ihm und laßt euch in

seinem Namen taufen." Der König und das ganze Volk waren überwältigt von dem Zeichen, das vor ihren Augen geschehen war. Sie kamen zum Glauben an Christus und ließen sich taufen. Voll Dankbarkeit wollte der König den Ritter Georg mit Schätzen überschütten. Doch der wehrte ab: „Gib sie den Armen der Stadt!" Dann küßte er den König zum Abschied und ritt hinweg. (12)

GOTT IST UNAUSSCHÖPFLICH

Der große Kirchenlehrer Augustinus war Bischof von Hippo Regius in Nordafrika. An einem heißen Sommertag ging er einsam am Meer entlang, versunken im Nachdenken über Gott. Da sah er ein kleines Kind, das ganz allein am Strand spielte. Mit den Händen hatte es ein Loch in den feuchten Sand gegraben und schöpfte unablässig mit einer Muschel Wasser hinein. Augustinus blieb stehen und schaute eine Weile zu. „Was machst du denn so eifrig?", fragte er dann. Das Kind ließ sich nicht stören und sagte ohne aufzusehen: „Ich fülle das Meer in dieses Loch." – „Meinst du denn, daß du es schaffst?" Das Kind schaute den gelehrten Bischof mit großen Augen an und antwortete: „Eher schaffe ich es, als es dir, Augustinus gelingen wird, das Wesen des dreieinigen Gottes zu erfassen." Und plötzlich fand sich Augustinus wieder allein am Strand. (13)

DER GETEILTE MANTEL

Martin war noch Katechumene, als er auf Befehl des römischen Kaisers zum Militärdienst verpflichtet und einer Reiterlegion in Gallien zugeteilt wurde. Was er im Taufunterricht von Christus gehört hatte, bestimmt auch sein Leben als Soldat und Offizier.

In einem ungewöhnlich kalten Winter, in dem viele Menschen umkamen, sah er eines Tages am Stadttor einen in Lumpen gehüllten Bettler kauern, der die Vorübergehenden um eine Gabe bat. Doch ungerührt gingen alle eilig an ihm vorbei. Martin hatte großes Mitleid mit ihm und hielt sein Pferd an. Doch was nur konnte er ihm geben? Seinen Sold und seine ganze Habe hatte er schon an andere, die große Not litten, verschenkt. Da zog er sein Schwert und schnitt seinen Umhang mitten durch. Die eine Hälfte gab er dem Armen, die andere legte er sich um.

In der folgenden Nacht erschien ihm

Christus, angetan mit der Hälfte des Umhangs, die er dem frierenden Bettler gegeben hatte. Und Martin hörte eine Stimme: „Was du diesem einen meiner armen Brüder getan hast, das hast du mir getan." (14)

DIE DECKE DES REICHEN

Johannes, der den Beinamen „der Barmherzige" erhielt, war Patriarch in Alexandrien. Er sorgte besonders für die Armen der Stadt und nannte sie seine „Herren". Selber lebte er ganz bescheiden und lehnte jede Bequemlichkeit für sich ab.

Ein reicher Mann sah einmal, daß Johannes nur ein dünnes, altes Tuch auf seinem Lager hatte. Er ging auf den Markt, kaufte dort eine sehr teure weiche Decke und gab sie ihm. Als sich nun Johannes nachts in das kostbare Geschenk hüllte, konnte er nicht einschlafen, denn er dachte: „Es sind so viele in unserer Stadt, die heute nichts zu essen hatten und nun naß vom Regen frierend auf den Straßen schlafen. Ich aber habe heute guten Fisch gegessen und liege auf meinem Bett in einer warmen, weichen Decke, die viel Geld gekostet hat. Das soll mir nicht noch einmal geschehen!" Am Morgen ließ er das kostbare Geschenk verkaufen und teilte den Erlös unter die „Herren Armen" aus. Der reiche Mann hörte dies und kaufte die Decke zurück. Er ging damit zu Johannes und bat ihn, er möge doch ein wenig an sich denken und das Geschenk behalten. Johannes bedankte sich, ließ aber wiederum die Decke verkaufen und schenkte das Geld seinen „Herren Armen". Der Reiche kaufte nochmals die Decke zurück und sagte lachend zu Johannes: „Laß sehen, wer eher müde wird, du beim Verkaufen oder ich beim Wiederkaufen!" Johannes sprach zu den Leuten, die bei ihm waren: „Wer auf diese Weise einen Reichen beraubt, begeht kein Unrecht. Er tut vielmehr zwei gute Dinge. Einmal hilft er mit, daß die Seele des Reichen gerettet werde und zum andern kümmert er sich um die, die unsere Hilfe brauchen." (15)

FÜR ANDERE LEBEN

Nikolaus war das einzige Kind frommer und sehr reicher Eltern. Nach ihrem Tod beschloß er, das ganze Erbe an Geld und Gut zum Lobe Gottes und zur Hilfe für die Menschen zu verwenden.

In seiner Nachbarschaft lebte ein verarmter Adeliger, dem es an allem mangelte, was man zum Leben braucht. Darum wollte er aus Verzweiflung und Not seine drei herangewachsenen Töchter auf die Straße schicken, damit sie mit ihren Leibern Geld verdienten. Nikolaus hörte davon und war über die Maßen entsetzt. Am Abend, als es schon dunkel war, holte er Gold aus der Truhe, wickelte es in ein Tuch und warf es durch ein offenes Fenster in das Haus des verarmten Nachbarn. Der fand am nächsten Morgen das Gold, war sprachlos über den plötzlichen Reichtum und konnte nun seine älteste Tochter verheiraten. Nicht lange danach warf Nikolaus wieder Gold in das Haus des Nachbarn, so daß auch die zweite Tochter eine Mitgift zur Heirat hatte.

Dem Nachbarn drängte es nun zu erfahren, wer wohl der unbekannte Geber sei. Darum legte er sich nachts neben dem offenen Fenster zur Ruhe. Tatsächlich packte Nikolaus auch noch ein drittes Mal Gold in ein Tuch und warf es in das Haus des Nachbarn. Als er das Klirren hörte, stand er rasch auf, rannte aus dem Haus und rief dem Unbekannten zu: „Bleib doch stehen, damit ich weiß, wer du bist und dir danken kann!" Er holte ihn ein, hielt ihn fest und sah, daß es Nikolaus war. Voller Dank und Freude wollte er ihm die Füße küssen, aber Nikolaus ließ es nicht zu und sagte zu ihm: „Schweig darüber und danke nicht mir, preise Gott, der mich gelehrt hat: Lebe nicht für dich, sondern für die anderen, denn wer für andere lebt, der lebt in Wahrheit für sich." (16)

DER CHRISTUSTRÄGER

Christophorus war von riesenhafter Gestalt und verfügte über gewaltige Körperkräfte. Darum wollte er nur dem mächtigsten Herrn der Welt dienen. Und weil es damals einen König gab, der über viele Völker herrschte, trat er in dessen Dienst. Eines Tages dachte Christophorus: „Es muß wohl noch einen mächtigeren Herrn geben." Er hatte nämlich beobachtet, daß sich der König jedesmal bekreuzigte, wenn vom Teufel die Rede war. Da verließ Christophorus den König und folgte dem Teufel in die Wüste. Dort stand ein großes hölzernes Kreuz, um das der Teufel jedesmal, wenn er vorbeikam, einen großen Bogen machte. „Also muß es doch einen mächtigeren Herrn geben", dachte sich Christophorus und verließ auch den Teufel.

Ruhelos wanderte er umher und suchte nach diesem Herrn. Schließlich rastete er bei einem Einsiedler, der ihm von Christus erzählte und ihm sagte: „Dieser ist der

wahre Herr der Welt." – „Aber wo finde ich
ihn?" fragte Christophorus. Der Einsiedler
antwortete: „Diene, so wirst du ihn finden!" Er folgte dem Rat des frommen

Mannes und suchte mit seinen Körperkräf-
ten den Menschen zu dienen. An einem
Fluß, wo weit und breit keine Brücke noch
eine Furt war, baute er sich eine Hütte und

trug geduldig die Menschen auf seinen starken Schultern durch den Strom.

In einer stürmischen, dunklen Nacht hörte er dreimal eine schwache Stimme: „Christophorus, trag' mich hinüber!" Er blickte umher, und erst beim dritten Ruf sah er ein Kind, das seinen Dienst begehrte. Er nahm seinen Stecken in die Hand, setzte das Kind auf seine Schultern und begann durch den Fluß zu waten. Mit jedem Schritt wurde der Weg mühsamer, denn der Strom schwoll an und das Kind wurde ihm immer schwerer. Er keuchte: „Kind, es ist mir, als trüge ich die ganze Welt." – „Du trägst jetzt den auf deinen Schultern", sagte das Kind, „der die ganze Welt erschaffen hat und sie erhält." Mit letzter Kraft erreichte Christophorus das andere Ufer, und als er das Kind von seinen Schultern nahm, erkannte er in ihm den Gottessohn, von dem der Einsiedler erzählt hatte.

Bevor das Kind aus seinen Augen entschwand, sagte es zu ihm: „Christophorus, ich will dir ein Zeichen meiner Macht geben. Nimm deinen Stab und stecke ihn in

die Erde!" Christophorus tat, wie ihm
geheißen war. Am nächsten Morgen fand er
seinen Stab als ein Bäumchen mit grünen
Blättern und schönen Früchten.

Wer Christus erkennt und ihn in die Welt
trägt, ist wie ein fruchtbarer Baum.   (17)

DAS WANDERNDE KÖRBCHEN

In der ägyptischen Wüste Sketis lebten vor langer Zeit viele Einsiedler in Hütten und Höhlen. Eines Tages wurde dem frommen Makarios ein Körbchen mit wohlschmeckenden Trauben gebracht. Er wollte aber die erfrischende Gabe nicht für sich behalten, darum brachte er sie einem Mitbruder, um ihn zu erfreuen. Der dankte herzlich für das unerwartete Geschenk, dachte dann an einen kranken Mitbruder und brachte die Trauben in dessen Hütte. Doch auch der schenkte das Körbchen mit Trauben weiter. So wanderte es durch alle Hütten und Höhlen, die weit verstreut in der Wüste lagen. Schließlich gelangte das Körbchen mit Trauben wieder zu Makarios, der voller Freude Gott für dieses Zeichen der brüderlichen Liebe dankte. (18)

WAS BETEN ERREICHT

Meine Gebete haben keinen Erfolg,"
klagte ein junger Mensch, „Gott
erfüllt mir keine Bitte." Da hörte er von
einem frommen Einsiedler in der Wüste, zu
dem viele kamen, um beten zu lernen. Der
junge Mann machte sich auf den Weg zu
ihm und bat: „Vater, lehre mich so beten,
daß meine Gebete Erfolg haben und ich
nicht leer ausgehe." Der Einsiedler sah ihn
an und sagte: „Siehst du den schmutzigen
Korb vor meiner Hütte? Nimm ihn und
hole damit Wasser!" Der junge Mann nahm
verwundert den Korb, ging zum nahen
Brunnen und füllte ihn. Als er zurückkam,
war alles Wasser aus dem Korb herausgelau-
fen. Der Einsiedler sagte: „Geh und hole
mit dem Korb Wasser!" Wieder kam er nur
mit einem nassen Korb zurück. Noch einige
Male schickte ihn der Einsiedler zum Brunnen. Schließlich fragte der junge Mann:
„Warum soll ich diese nutzlose Arbeit tun?
Man kann doch mit dem Korb kein Wasser

holen. Aus ihm läuft alles heraus." Der Einsiedler antwortete: „Sieh, so ist es mit deinem Beten. Du hast zwar kein Wasser mitgebracht, aber der schmutzige Korb ist jetzt sauber geworden. Wenn du nach deinem Gebet meinst, nichts in den Händen zu haben, so hat dich doch das Beten gereinigt."

DAS GEBET DES REISIGSAMMLERS

Auf Zypern herrschte einst eine schreckliche Dürre. Alle Vorräte gingen zu Ende, und die Menschen litten unter der Hungersnot. Täglich kamen sie in der Kirche zusammen und beteten um Regen. Aber es gab keinen Regen. Da gingen sie zu ihrem Bischof und baten ihn, Gott anzuflehen, daß endlich die Felder wieder grünen. Auch das half nichts. Alle waren verzweifelt, daß selbst die Gebete des Bischofs nichts bewirkten.

In der Nacht hörte der Bischof eine Stimme vom Himmel: „Geh nach dem Frühgottesdienst zum Stadttor und sage zum ersten Menschen, der durch das Tor in die Stadt kommt, er möge Gott um Regen bitten, denn sein Gebet soll erhört werden." Der Bischof berichtete im Frühgottesdienst der Gemeinde, was ihm in der Nacht zugeraunt worden war. Nach dem Segen gingen alle zum Stadttor und warteten, wer wohl zuerst hereinkäme und sich als der bessere

Beter erwiese. Schließlich sahen sie im flimmernden Licht einen Mann kommen, der eine schwere Last auf dem Rücken trug. Als er nahe war, erkannten sie den alten Reisigsammler, der nachts auf den Treppen der Kirche schlief. Der Bischof und die Menschenmenge waren fassungslos. Sollte dieser bettelarme Reisigsammler mehr bewirken als die Gebete des Bischofs?

Der Reisigsammler wunderte sich über die vielen Menschen, die am Stadttor standen. Der Bischof trat zu ihm und bat, er möge vor allem Volk Gott um Regen bitten. Doch der Reisigsammler wehrte ab: „Nur du bist dazu würdig. Es ist dein Amt, für das Volk zu beten. Ich bin nur ein armer, schwacher Mensch." Der Bischof antwortete, er habe schon inständig zu Gott um Regen gefleht, aber seine Gebete hätten nicht geholfen. Und dann erzählte er, was ihm die Stimme aus dem Himmel in der Nacht verheißen habe. Noch immer wollte der Alte nicht niederknien. Da nahm der Bischof das Reisigbündel von seiner Schulter und drückte den Mann sanft auf den

Boden. Der Reisigsammler hob seine Hände auf und betete stammelnd um Regen und das Ende der Hungersnot. Als er endete und alles Volk „Amen" sagte, verdunkelte sich der Himmel. Erste Tropfen fielen, und dann weichte fruchtbringender Regen überall das hartgewordene Erdreich auf. Alle priesen Gott für dieses große Wunder, das ihnen das Leben schenkte, und sie konnten nicht genug dem armen Reisigsammler danken, den sie früher kaum wahrgenommen hatten. Der Bischof nahm ihn in sein Haus auf und pflegte ihn bis er starb und die Tore der ewigen Stadt ihm geöffnet wurden. Auf den Zinnen standen Engel und sangen: „Selig sind die da geistlich arm sind, denn ihrer ist das Himmelreich." (19)

DEN SCHÖPFER EHREN

Hubertus war ein leidenschaftlicher Jäger. Mit seinen Freunden suchte er zu erlegen, was er nur in den Wäldern und auf den Feldern aufspüren konnte: Hirsche und Rehe, Füchse und Hasen, Wachteln und Rebhühner. Aus reiner Jagdlust tötete er die Tiere und nicht, weil er sie zur Nahrung brauchte. Alle Tiere gerieten in große Angst. Kein Reh wagte sich mehr in der Dämmerung aus dem Dickicht, und die Vögel hörten auf, Nester zu bauen und zu brüten. In ihrer Not beschlossen die Tiere, einen Boten zu Gott in den Himmel zu schicken und ihn zu bitten, er möge sie vor dem grausamen Jäger schützen. Als Boten wählten sie einen Eichelhäher. Der flog nun in den Himmel bis zum Throne Gottes, schilderte das Leid der Tiere und flehte um Hilfe. Gott hörte die Klage und Bitte des Eichelhähers an und sprach: „Ich will euch helfen, denn jedes Wesen, das ich geschaffen habe, ist mir nahe, und alle

Menschen sollen in jedem Geschöpf den Schöpfer ehren."

Kurze Zeit danach verfolgte Hubertus einen prächtigen weißen Hirsch im Walde. Der sprang auf einen Felsen, wandte sich

um und sprach zu ihm plötzlich mit menschlicher Stimme: „Warum verfolgst du mich, Hubertus? Du meinst zwar, mich zu jagen, aber heute jage ich dich! Ich bin Christus, der Heil und Frieden den Menschen und aller Schöpfung bringt. Wende dich ab von deiner Gier zu töten. Lebe in Frieden mit der Natur. Schone und schütze sie!" Hubertus fiel nieder und sah zwischen dem Geweih des weißen Hirsches ein hell strahlendes Kreuz. Da bekehrte er sich, gab sein ungezügeltes, mordlustiges Jagen auf und wurde Christ. Die Tiere aber in den Wäldern und auf den Feldern priesen Gott, den Schöpfer und Erhalter, und es war ein lautes Singen und Jubilieren zur Ehre des himmlischen Vaters. (20)

DER STOCK AUS DEM WEINBERG

Kaiserin Kunigunde ging oft zum Beten hinauf zur Bamberger Stephanskirche. Immer, wenn sie vor dem Portal ankam, öffnete sich von selbst die Tür, um die fromme Frau einzulassen. Als sie eines Tages beim steilen Aufstieg ermattete, zog sie einen Stock aus einem Weinberg und benutzte ihn als Wanderstab. Vor der Stephanskirche angekommen, blieb diesmal das Portal verschlossen. Kunigunde erschrak und ließ den Stab, den sie aus dem Weinberg gezogen hatte, fallen. Da öffnete sich wieder die Tür zur Kirche. Kunigunde erkannte, daß der nicht Gottes Gefallen findet, der unrechtes Gut an sich nimmt – und sei es nur der Stecken aus einem fremden Weinberg. (21)

DER TRAUM DES PAPSTES

Franz von Assisi und elf Männer, die mit ihm in Armut lebten und die Nachfolge Christi predigten, machten sich nach Rom auf. Sie wollten Papst Innozenz von ihrem Leben und Tun berichten und ihr Werk in seinem Auftrag und mit seinem Segen fortsetzen.

In der Nacht, bevor Franz mit seinen Brüdern nach Rom gelangte, hatte der Papst, den der Zustand der Christenheit bedrückte, einen schweren Traum. Er sah sich vor der Lateranbasilika stehen. Plötzlich wankten die Säulen des Portals, und die Kirche drohte einzustürzen. Da trat ein Mann heran, klein von Gestalt und ärmlich gekleidet. Er stellte sich zwischen die wankenden Säulen, wurde groß und stützte die Kirche mit seiner Schulter. Betroffen schreckte der Papst auf und grübelte über den Traum, doch er vermochte ihn nicht zu deuten.

Am frühen Morgen erschien, klein von

Gestalt und mit einer ärmlichen Kutte bekleidet, Franz von Assisi vor dem Papst und bat ihn demütig, die Regel seiner Bruderschaft zu bestätigen, die er mit schlichten Worten niedergeschrieben hatte. Der Papst sah Franz an, und es kam ihm in den Sinn: „Das ist gewiß der Mann, der die Kirche halten, stützen und erneuern wird." (22)

DIE BOTSCHAFT DER VÖGEL

Franz von Assisi wanderte mit seinen Gefährten von Stadt zu Stadt, um die Menschen zur Umkehr und zu neuem Leben zu bewegen. Eines Tages führte ihn der Weg an Bäumen vorbei, auf denen eine kaum zählbare Schar von Vögeln verschiedenster Art saßen. Auch auf dem Feld neben den Bäumen hatte sich eine große Menge zusammengefunden. Noch nie hatte man in jener Gegend so viele Vögel an einem Ort gesehen.

Franz von Assisi staunte über dieses Wunder und sprach zu seinen Begleitern: „Wartet hier ein wenig. Ich will meinen Geschwistern, den Vögeln, eine Predigt halten." Er schritt auf die Vögel zu, die auf dem Feld waren. Sie machten ihm Platz und ließen ihn in ihre Mitte treten. Als er anfing zu predigen, flogen auch alle Vögel herbei, die auf den Bäumen saßen, und hörten Franziskus zu, der sie so anredete:

„Meine Geschwister Vögel, viel verdankt

ihr Gott, und darum sollt ihr ihn allezeit und an allen Orten loben. Ihr habt die Freiheit, überallhin zu fliegen. Ihr habt wunderschöne, zierliche Kleider. Ihr braucht euch nicht um Nahrung zu kümmern. Ihr habt die Gabe des Gesangs vom

Schöpfer erhalten. Und ihr seid eine große Schar, die Gottes Segen vermehrt. Als er die Welt schuf, hat er euch das Element der Luft zugewiesen. Bei der Sintflut bewahrte er euch in der Arche. Ihr sät nicht, ihr erntet nicht, ihr sammelt nicht in die Scheunen, und euer himmlischer Vater ernährt euch doch. Er gab euch Bäche und Quellen zum Trank, Felsen und Klüfte zum Schutz, Bäume und Hecken zum Nisten. Seht, euer Schöpfer, der euch so viel Gutes erwiesen hat, liebt euch gar sehr. Darum, meine Geschwister Vögel, seid nie undankbar, sondern ehrt und preist euren Gott voll Eifer und Ehrfurcht." Nun öffneten alle Vögel ihre Schnäbel, spannten die Flügel aus, reckten die Hälse und neigten ihre Köpfe demütig zur Erde. Als Franziskus dies sah, überkamen ihn Staunen und Freude. Ergriffen lobte er im Anblick der Geschöpfe den Schöpfer. Dann segnete er die Vögel mit dem Zeichen des Kreuzes und entließ sie. Sie flogen auf, begannen zu zwitschern und zu jubilieren und stimmten einen weit klingenden mächtigen Lobgesang an. Dann verteilten sie sich und flogen auseinander, nach Osten und Westen, nach Norden und Süden. Den Gefährten des Franziskus war dies ein Zeichen, daß die Predigt vom Kreuz, die Franz von Assisi erneuerte, in die ganze Welt hineingetragen werden soll. (23)

DER KRANKE IM FRAUENGEMACH

Eines Tages fand Elisabeth von Thüringen einen Kranken, der überaus schmutzig war und an Aussatz litt. Heimlich brachte sie ihn auf die Wartburg, um ihn in ihrem Gemach zu pflegen. Sie wusch ihn, schnitt ihm das Haar, gab ihm ein sauberes Hemd und legte ihn in ihr eigenes Bett. Als ihr Gemahl, der junge Landgraf Ludwig, von der Jagd heimkehrte, sagte seine Mutter Sophie zu ihm: „Welch eine Schmach! Geh zu deiner Frau, die hält einen Mann in ihrer Kammer verborgen." Ludwig ging hin und klopfte bei ihr an. Elisabeth hatte gerade die Schüssel mit dem Waschwasser des Kranken in der Hand. Rasch verbarg sie die Schüssel unter einem Tuch und öffnete die Tür. Ihr Gemahl schaute umher und sah, daß sie etwas unter ihrem Brusttuch verbarg. Es waren die Haare des Kranken, die sie abgeschnitten hatte. Ludwig fragte sie freundlich: „Sag, was hast du in dein Brusttuch gesteckt?" Sie antwortete: „Es ist Seide", und holte die Haare hervor, da waren sie Schnüre, aus Seide und Gold gewirkt. Ludwig entdeckte auch die Schüssel und fragte: „Was hast du in der Schüssel?" Elisabeth nahm das Tuch weg, da strömte Wohlgeruch aus dem Wasser und obenauf lagen herrliche Rosen. Ludwig küßte seine junge Frau, ging froh zu seiner Mutter und sagte: „Ich habe keinen Menschen in ihrem Gemach gesehen." Sie aber antwortete: „Geh zurück, mein Sohn, und schau genauer nach!" Er schüttelte den Kopf: „Mutter, du tust meiner Frau, die ich liebe, unrecht und versündigst dich, weil du sie so böse verdächtigst." Doch die Mutter beharrte darauf: „Geh nur hin zu ihrem Bett, und du wirst einen finden, den sie viel lieber als dich hat." Ludwig ging wieder zum Gemach Elisabeths, die ihm freundlich die Tür öffnete. Um der Mutter zu beweisen, daß sie im Unrecht sei, trat er an das Bett und deckte es auf. Da fand er unter der Decke das Abbild des gekreuzigten Christus. Ludwig fiel betroffen auf die Knie und betete:

„Herr, erbarme dich über mich. Ich bin nicht wert, daß ich dies schauen darf. Hilf mir, daß ich ein Mensch nach deinem Bild und Willen werde. (24)

DIE MENSCHEN FROH MACHEN

Elisabeth von Thüringen hatte als Witwe vor den Toren der Stadt Marburg ein Hospital gegründet und pflegte darin Kranke und Arme. Eines Tages erhielt sie zu ihrer eigenen Versorgung zweitausend Mark in Silber vom Landgrafen Heinrich Raspe. Sogleich beschloß sie, ein Viertel der Summe an Arme zu verteilen und ließ bekanntmachen, alle Notleidenden der Umgebung sollten sich an einem bestimmten Tag im Hospital einfinden. Als der Tag herangekommen war, versammelte sich eine große Schar von Armen, Kranken und bedürftigen Alten im Hof des Hospitals. Während des ganzen Tages verteilte Elisabeth das Geld und tröstete und ermutigte die Leute. Am Abend blieben noch viele Schwache und Alte da, denn der Heimweg am gleichen Tag war ihnen zu beschwerlich. Elisabeth ließ mitten im Hof ein großes Feuer anzünden, damit sich alle wärmen konnten. Dann wurden sie gewaschen und gespeist. Die geschundenen und verhärteten Menschen spürten, daß ihnen nicht bloß ein Almosen gegeben wurde, sondern ihnen Liebe und Herzlichkeit begegnete. Sie fühlten sich als eine große Familie und sangen und lachten. Da sagte Elisabeth zu ihren Gefährtinnen: „Seht, ich habe immer gesagt, man muß die Menschen froh machen." (25)

REICHTUM KANN ARMUT SEIN

Der gelehrte Thomas von Aquin war von einem Bischof zum Essen eingeladen. Als man sich zu Tische setzte, brachte der Diener eine goldene Schale mit Wasser herein. Während der Bischof sich die Hände wusch, funkelten die kostbaren Ringe, die er an den Fingern trug. „Sieh", sagte er lächelnd zu Thomas gewandt, „heute kann die Kirche nicht mehr wie einst Sankt Petrus sagen, ‚Silber und Gold habe ich nicht'." Thomas erwiderte: „Vielleicht kann sie darum heute nicht mehr wie einst Sankt Petrus zum Gelähmten sagen ‚Steh auf!' und ihn gesund machen." (26)

DIE GERECHTIGKEIT GOTTES

Ein Einsiedler, den Zweifel an der Gerechtigkeit Gottes plagten, beschloß, sie zu suchen. Er verließ seine Klause und zog in die Welt. Da gesellte sich ein junger Mann zu ihm, und sie wanderten gemeinsam weiter. Als es Abend wurde, kamen sie zu einem Schloß und fanden dort freundliche Aufnahme. Bevor sie am nächsten Morgen weiterreisten, stahl der junge Mann einen kostbaren Becher. Die zweite Nacht verbrachten sie bei einem reichen Geizhals, der seine armen Schuldner bedrückte und sie in immer größere Not trieb. Diesem Geizhals schenkte der junge Mann den gestohlenen Becher. Danach kamen sie durch ein Dorf. Der Begleiter klopfte an die Tür eines ärmlichen Hauses und bat um einen Becher Milch. Die Frau gab ihm die letzte Milch, die noch im Krug war, zu trinken. Kaum hatten die beiden Wanderer das Dorf hinter sich gelassen, ging das Häuschen in Flammen auf und brannte völlig nieder.

Ihr Weg führte sie dann ins Gebirge. Dort hörten sie aus einer versteckten Hütte Weinen und Klagen. Sie traten ein und fanden Eltern, die voll Schmerz am Lager ihres kranken Kindes saßen. Sogleich bereitete der junge Mann einen Trank und gab ihn dem Kinde, das augenblicklich starb. Dem Einsiedler graute es vor seinem unheimlichen Begleiter. Er zögerte, mit ihm weiterzuwandern, doch kannte er sich in dem einsamen Gebirge nicht aus. Sein Begleiter nahm den Vater des Kindes als Führer mit. Als sie an einen Steg kamen, der eine Schlucht überbrückte, gab er dem Vater einen Stoß und stürzte ihn in den tiefen Abgrund. Der Einsiedler war außer sich und wollte voll Zorn und Empörung seinen Begleiter in die Schlucht stoßen. Doch an dessen Stelle stand plötzlich der Erzengel Michael auf dem Steg und sprach zu ihm: „Du bist ausgezogen, die Gerechtigkeit Gottes zu suchen. Jetzt hast du ein Stück von ihr erfahren. Der Becher, den ich den guten Menschen im Schloß stahl, war vergiftet. Der reiche Geizhals, der die Armen bedrückte, hat in ihm den Lohn für seine Sünden gefunden. Die armen Leute, denen ich das Haus anzündete, werden es wieder aufbauen und im Schutt einen Schatz finden. Das Kind, das ich von der Welt nahm, wäre sein ganzes Leben lang krank und hilflos geblieben. Und der Vater, den ich in den Abgrund stieß, war ein schlimmer Räuber und Mörder. So ist vor Gott gerecht, was Menschenaugen ungerecht erscheint."

Nachdenklich ging der Einsiedler in seine Klause zurück und ehrte von nun an das Geheimnis der Gerechtigkeit Gottes.

SO ODER ANDERS?

Zwei fromme Mönche lebten schon viele Jahre in einem Kloster und waren in Freundschaft miteinander verbunden. Oft gingen sie gemeinsam im Kreuzgang spazieren und sprachen über ihren Glauben an Gott und die gebotene Liebe zum Nächsten. Besonders aber dachten sie über die Hoffnung auf das ewige Leben nach, das Christus verheißen hat. In der Klosterbibliothek lasen sie gemeinsam die Offenbarung des Johannes und malten sich aus, wie die ewige Stadt Gottes wohl aussähe, die nach dem Tode ihre Heimat würde. Aber es kamen ihnen auch Zweifel. Waren ihre Vorstellungen und Bilder richtig? Sah das Leben in der Stadt und im Reich Gottes anders aus, als sie es sich vorstellten?

Erschöpft von ihren vielen Überlegungen und Fragen knieten sie eines Abends nieder und flehten zu Gott, er möge dem, der zuerst sterbe, die Gnade schenken, in der Nacht nach seinem Tode dem zurückgebliebenen Bruder zu erscheinen. Und sie baten, er solle nur ein einziges Wort sagen: „Taliter", das bedeutet „Es ist so" oder „Aliter" – „Es ist anders." Als sie vom Gebet aufstanden, waren sie gewiß, Gott würde ihre Bitte erfüllen.

Nach wenigen Monaten starb einer der beiden Mönche. Der andere erwartete voll Trauer und Hoffnung unruhig die Nacht. Was würde ihm der Mitbruder sagen? „Taliter" oder „Aliter"? Aber er durchwachte die Nacht vergebens. Der Verstorbene erschien nicht. Auch in den folgenden Nächten wartete er umsonst. Mehr und mehr geriet er in Grübelei; Zweifel und Ängste quälten ihn. So verging ein ganzes Jahr.

Am Jahrestag des Hinscheidens seines Mitbruders schreckte der noch lebende Mönch mitten in der Nacht auf, denn schweigend stand der verstorbene Freund vor ihm. „Taliter?", fragte er ihn. Der schüttelte den Kopf. „Aliter?", fragte er beklommen. Wieder schüttelte der andere den Kopf und sagte leise: „Totaliter aliter" –

„Es ist vollkommen anders." Der Lebende wollte seinem Mitbruder noch viele Fragen stellen, aber seine Gestalt verdämmerte und verschwand. (27)

WO HIMMEL UND ERDE
SICH BEGEGNEN

Zwei Mönche hatten gehört, es gäbe einen Ort in der Welt, wo sich Himmel und Erde begegnen. Sie beschlossen, sich auf den Weg zu machen, um diesen Ort zu suchen. Lange Zeit waren sie unterwegs, hatten viele Gefahren zu bestehen, doch ihr Ziel fanden sie nicht. Als sie schon ganz ermattet, ihre Schuhe abgelaufen und ihre Kutten zerschlissen waren, kamen sie endlich an den Ort, wo sich Himmel und Erde begegnen. Voller Erwartung öffneten sie das Tor – und standen plötzlich wieder in ihrer eigenen Zelle.

DER TRAUMLADEN

Ein junger Mann betrat im Traum einen Laden. In den Regalen waren viele Dosen aufgestellt, und hinter der Theke stand ein Engel. Der junge Mann fragte neugierig: „Was kann man bei ihnen bekommen?" Freundlich antwortete der Engel: „Bei uns können sie alles kaufen, was sie nur wünschen." Der junge Mann war überrascht: „Wenn das so ist, dann möchte ich gern bei ihnen das Ende aller Kriege kaufen, Brot für alle Hungernden in der Welt, Liebe unter den Menschen, Gemeinschaft zwischen den Kirchen..." Der Engel unterbrach ihn: „Sie haben mich wohl falsch verstanden. Wir verkaufen keine Früchte, wir verkaufen nur Samen."

SO SIND DIE MENSCHEN!

Ein kleiner Vogel hatte sich die Flügel verletzt. So schnell er konnte, hüpfte er zur Statue eines Heiligen, die mitten auf dem Marktplatz stand, und bat flehentlich: „Nimm mich rasch in deine Hand. Eine Katze verfolgt mich und will mich fressen." Aber die Marmorstatue rührte sich nicht. Traurig sagte der Vogel: „So sind die Menschen!", und drückte sich zitternd zwischen die Füße des Heiligen. Da kam die Katze und zog den kleinen Vogel mit ihren Krallen heraus.

DAS EIGENE KREUZ

Ein Mensch konnte sich nicht abfinden mit der Last, die auf ihm lag. Er klagte über das schwere Kreuz, das er tragen müsse. Ja, er nannte Gott unbarmherzig und kalt, weil er ihm solche Bürde auferlegt hatte. Da erschien ein Engel und führte ihn in einen großen Saal. Darin standen alle Kreuze, die für die Lebenszeit der Menschen bestimmt waren. „Wähle selbst das Kreuz, das du tragen möchtest!", sagte der Engel zu dem Mann. Der ging nun umher und betrachtete genau die vielen Kreuze. Er sah ein sehr schmales, aber es war lang und äußerst hinderlich. Am Boden lag ein ganz kleines, er wollte es aufheben, doch es war ungeheuer schwer. Dann stand er vor einem, das ihm bequem zu tragen schien. Als er es auf die Schulter legte, schrie er auf, denn er hatte den spitzen Dorn nicht bemerkt, der in sein Fleisch drang. Noch viele andere Kreuze sah er sich an, aber stets entdeckte er etwas, was ihm unangenehm war und ihn abstieß. Schließlich fand er ein Kreuz, das fast versteckt an einer Wand lehnte. Es schien handlich zu sein, weder zu schwer, noch zu leicht – wie geschaffen für ihn. „Hier dieses will ich von nun an tragen", sagte er zu dem Engel. Doch als er es genauer betrachtete, erkannte er das Kreuz, das er bisher zu tragen hatte. (28)

DIE DREI STEINMETZE

Umgeben von Steinbrocken saßen drei Steinmetze unter einem Bretterdach und schlugen aus Blöcken Figuren und Rosetten. Ein Mann stellte sich dazu und beobachtete ihre Arbeit. „Sagt mir, was ihr macht?", fragte er sie. Einer sagte zu ihm:

„Ich verdiene hier mit meinen Händen das Brot für mich und meine Familie." Der andere: „Ich habe gelernt, Steine zu behauen, und das macht mir Freude." Der dritte antwortete: „Ich arbeite am Bau eines Doms."

DAS GEHEIMNIS
DER ARMSELIGEN HÜTTE

Einst träumte ein Mann, er wäre in eine große Stadt gekommen, voll von Häusern und Palästen aus Ziegelsteinen, Quadern und Marmor. Alles war zweckmäßig gebaut, fest gefügt und glänzte mit prächtigen Fassaden. Mitten in der Stadt stand eine armselige, alte Hütte voll Luken, Löchern und Winkeln. Sie schien unbewohnbar und ein Wunder war, daß sie nicht schon längst in Trümmern lag. Der Mann betrachtete die baufällige Hütte aus vergangener Zeit und dachte bei sich, bald wird sie zusammenbrechen und weggeräumt werden.

Hundert Jahre später kam er wieder in die Stadt. Die Häuser, die er damals bewundert hatte, waren abgebrochen, umgebaut oder durch andere in neuem Stil und für neue Zwecke ersetzt. Doch noch immer stand mitten in der Stadt die armselige Hütte mit ihren Luken, Löchern und Winkeln.

Als der Mann nach abermals hundert Jahren in die Stadt kam, erblickte er viele neue Bauwerke, die das alte Stadtbild völlig verändert hatten. Aber unverändert stand die baufällige Hütte mitten in der Stadt. Und dann sah er, wie aus den Häusern und Palästen viele Kranke und Müde herauskamen. Ihnen konnte kein Arzt helfen, und sie siechten dahin. Doch wer in die Hütte ging, der kam heil und fröhlich heraus. Da dachte der Mann: „Hier muß Gottes Hilfe wohnen." Er trat in die Hütte und fand dort einen, der heilend seine Hand auf die Kranken und Müden legte. Und er erkannte Christus mitten in der armseligen Hütte. (29)

ANMERKUNGEN
UND
BILDNACHWEIS

ANMERKUNGEN

(1) Hieronymus, um 345–420 (Gedenktag: 30. September). Kirchenlehrer, Übersetzer der Bibel in die lateinische Sprache (Vulgata). Siehe auch Anmerkung 11. Jes 9,5–6.

(2) Heilige Drei Könige (Gedenktag: 6. Januar, Epiphanias). Die verschiedenen Legenden über die Heiligen Drei Könige hat Johannes von Hildesheim (um 1315–1375) in seinem Werk „Die Legende von den Heiligen Drei Königen" zusammengefaßt, vgl. Faksimileausgabe der deutschen Bearbeitung von Karl Simrock aus dem Jahre 1842, mit einem Nachwort herausgegeben von Günter E. Th. Bezzenberger, Omega Verlag Kassel 1979.

(3) Das am Ende des 1. Jahrh. entstandene apogryphe Matthäusevangelium („Nazaräerevangelium") enthält die Palmbaum-Legende. Im Koran wurde sie in den Bericht über die Geburt Jesu eingetragen (Sure 21,22–26). Selma Lagerlöf hat die Palmbaum-Legende dichterisch gestaltet (Christuslegenden).

(4) Die Legende findet sich in der apogryphen Kindheitserzählung des Thomas, die schon um 150 bekannt war.

(5) Joh 2,1–11; 21,2.

(6) Veronika (Gedenktag: 4. Februar). In der älteren Legendenüberlieferung wird sie Beronike genannt.

(7) Maria Magdalena (Gedenktag: 22. Juli). Sie ist weder mit Maria von Betanien (Lk 10,38–42, Joh 11,1–45; 12,1–8), noch mit der namentlich nicht genannten großen Sünderin (Lk 7,36–42) identisch, wenngleich die Kirche des Westens seit Gregor d.Gr. (um 549–604) diese drei Frauen als eine verehrt.
Massilia: heute Marseille.

(8) Johannes (Johannes Evangelista) (Gedenktag: 27. Dezember). Apostel und Lieblingsjünger des Herrn. Nach legendä-

rer Überlieferung soll er in hohem Alter in Ephesus gestorben sein.

(9) Laurentius (Gedenktag: 10. August). Archidiakon in Rom. Über seinem Grab wurde 330 die Kirche S. Lorenzo fuori le mura erbaut. Sixtus II. war 257–258 Bischof von Rom; sein Grab befindet sich in der Kalixtus-Katakombe.
Kaiser Valerin, 253–260.

(10) Katharina von Alexandrien (Gedenktag: 25. November). Maxentius wurde 306 von Prätorianern in Rom zum Kaiser ausgerufen; er starb 312 in der Schlacht an der Milvischen Brücke bei Rom. Sieger war Konstantin d. Gr., unter dem das Christentum „erlaubte Religion" wurde.

(11) Gerasimus (um 450) war Gefährte des Asketen Euthymius d. Gr., der ebenfalls im Heiligen Land lebte und dort eine Asketengemeinschaft gründete. Beide werden in der Ostkirche als Heilige verehrt.
Die Löwenlegende wurde von Nikolai Leskow dichterisch gestaltet (Der Löwe des Einsiedlers Gerassim).
Die Ähnlichkeit der Namen Gerasimus und Hieronymus war wohl die Ursache, daß die Löwen-Legende in der abendländischen Kirche auf Hieronymus übertragen und der Löwe sein Attribut wurde.

(12) Georg (Gedenktag: 23. April), Großmärtyrer der Ostkirche. Historisch ist dieser Heilige kaum faßbar. Er soll unter dem Kaiser Diokletian (284–305) das Martyrium erlitten haben; sein Grab wird seit früher Zeit in Lydda (heute: Lod bei Tel Aviv) verehrt. Seit der Liturgiereform befindet sich St. Georg nicht mehr im liturgischen Festkalender der röm.-kath. Kirche.

(13) Aurelius Augustinus, 354–430 (Gedenktag: 28. August). 387 vom Mailänder Bischof Ambrosius zum Christentum bekehrt, seit 395 Bischof von Hippo Regius; einer der bedeutendsten Kirchenlehrer.

(14) Martin, um 316–397 (Gedenktag: 11. November). Zunächst Soldat, dann Mönch, seit 371 Bischof von Tours. Die Mantel-

Legende spielt am Stadttor von Amiens. Martins Mantelstück (lat. capella) war fränkische Reichsreliquie. Sie wurde von den Merowingern und Karolingern auf ihren Reisen durch das Reich stets mitgeführt und jeweils in den Pfalzkirchen verwahrt. Auf diese übertrug sich zunächst der lateinische Name der Reliquie; seit etwa 800 wurde „Kapelle" die allgemeine Bezeichnung für kleine Gotteshäuser.
Mt 25,41.

(15) Johannes der Barmherzige (Gedenktag: 30. Januar). Um 610 zum Patriarchen von Alexandria gewählt; stammt aus Amathus/Zypern.

(16) Nikolaus (Gedenktag: 6. Dezember). Er war Bischof von Myra/Kleinasien und starb um 350. Seine Gebeine wurden 1087 aus Myra entwendet und nach Bari/Italien gebracht. Nikolaus ist einer der Haupttheiligen der orthodoxen Kirche.

(17) Christophorus (Gedenktag: 25. Juli). Eine historisch nicht faßbare sagenhafte Gestalt, die im 3. Jahrh. in Kleinasien gelebt haben soll. Nach der Legende hieß er zunächst Reprobus (= der Verworfene). Wie St. Georg 1969 aus dem liturgischen Festkalender der röm.-kath. Kirche entfernt.

(18) Makarios d. Gr., um 300–380/90 (Gedenktag: 2. Januar). Begründer des Mönchtums in der Wüste Sketis/Unterägypten.

(19) Die Legende wurde von Nikolai Leskow dichterisch gestaltet (Die Erzählung vom gottgefälligen Holzhacker).

(20) Hubertus, gest. 727 (Gedenktag: 3. November). Erster Bischof von Tongern, verlegte 716 den Bischofssitz nach Lüttich; gilt als Apostel der Ardennen.
Die Hirsch-Legende wurde erst im 15. Jahrh. aus dem Legendenkreis um den Märtyrer Eustachius/Placidus auf Hubertus übertragen.

(21) Kaiserin Kunigunde, um 980–1033 (Gedenktage: 3. März und 13. Juli). Gemahlin Kaiser Heinrichs II.; trat nach dessen Tod in das von ihr gegründete Kloster Kaufungen als Nonne ein, 1200 heiliggesprochen.

(22) Papst Innozenz III., 1198–1216.
Zu Franz von Assisi: siehe Anmerkung 23.

(23) Franz von Assisi, 1181/82–1226 (evangelischer Gedenktag: 3. März, katholischer Gedenktag: 4. März). Gründer des Franziskanerordens; einer der großen Reformer der mittelalterlichen Kirche.
Mt 6,26.

(24) Elisabeth von Thüringen, 1207–1231 (Gedenktag: 19. November). Ungarische Königstochter; kam mit vier Jahren an den thüringischen Hof. Ihr Gemahl, Landgraf Ludwig, nahm am Kreuzzug Friedrichs II. teil und starb 1227 in Brindisi. 1229 gründete Elisabeth in Marburg ein Hospital; über ihrem Grab wurde die Elisabethkirche erbaut; 1235 heiliggesprochen.

(25) Siehe Anmerkung 24.

(26) Thomas von Aquin, 1225–1274 (Katholischer Gedenktag: 28. Januar, evangelischer Gedenktag: 8. März). Bedeutendster Theologe und Philosoph des Mittelalters; 1323 heiliggesprochen.
Apg 3,1–8.

(27) Die Legende wurde von Hans Frank unter dem Titel „Taliter?" dichterisch gestaltet.

(28) Nach Adalbert von Chamisso.

(29) Nach Gustav Theodor Fechner.

BILDNACHWEIS

S. 13 Geburt Jesu, gotischer Holzschnitt.

S. 15 Die Heiligen Drei Könige, Holzschnitt aus Johannes von Hildesheim „Die Legende von den Heiligen Drei Königen", gedruckt bei Heinrich Knoblochtzer, Straßburg um 1484.

S. 17 Die Flucht nach Ägypten, Holzschnitt, siehe Bildnachweis zu Seite 15.

S. 18 Jesus und der kranke Hirte, Holzschnitt, siehe Bildnachweis zu Seite 15.

S. 21 Die Flucht nach Ägypten, Holzschnitt aus dem „Heilsspiegel", gedruckt bei Peter Drach, Speyer um 1480.

S. 27 Die Hochzeit zu Kana, Holzschnitt, siehe Bildnachweis zu Seite 21.

S. 33 Das Schweißtuch der Veronika, aus der Kupferstichpassion von Martin Schongauer, zwischen 1475 und 1482 entstanden.

S. 37 Die drei Marien am Grabe Jesu, Holzschnitt aus „Ritter vom Turm", Basel 1493.

S. 45 St. Katharina, Holzschnitt aus einem gotischen Passional.

S. 53 St. Georg, Holzschnitt aus einem gotischen Passional.

S. 57 St. Martin, Holzschnitt aus einem gotischen Passional, Augsburg 1471/72.

S. 63 St. Christophorus, Holzschnitt von Albrecht Dürer, 1511.

S. 73 St. Hubertus, Holzschnitt aus einem gotischen Passional.

S. 79 Franz von Assisi predigt den Vögeln (die Herkunft des Bildes konnte nicht ermittelt werden).

S. 83 Das Kruzifix in St. Elisabeths Bett (Ausschnitt), aus der

„Cronica sant Elisabet zcu Deutsch", gedruckt bei Matthes Maler, Erfurt 1520.

S. 86   St. Elisabeth speist die Hungrigen (Ausschnitt), Holzschnitt von Michael Wohlgemut im Goldenen Legendenbuch des Jacobus de Voragine, Nürnberg 1488.

S. 90   St. Michael, Holzschnitt aus der „Weltchronik" von Hartmann Schedel, gedruckt bei Anton Koberger, Nürnberg 1493.

S. 99   Kaiser Heinrich II. und Kaiserin Kunigunde beim Bau des Bamberger Doms, Holzschnitt aus Nonnosus Stettfelder „Leben und Legende des Kaisers Heinrich und der Kaiserin Kunigunde", Bamberg 1511.

S. 102 Die Segenshand Gottes, Nachzeichnung eines romanischen Reliefs.

In gleicher Ausstattung sind bisher von Günter E. Th. Bezzenberger erschienen:

Johannes von Hildesheim, Die Legende von den Heiligen Drei Königen.

Faksimileausgabe der deutschen Bearbeitung von Karl Simrock aus dem Jahre 1842, mit einem Nachwort, 1979.

Visionen der Christenheit.

Text von Jean Paul, Feodor M. Dostojewski, Wladimir S. Solowjow und aus dem Neuen Testament, mit einem Nachwort, 1981.

Leben und Legende der Kaiserin Kunigunde.

1982.

Freiheit und Bindung – vier Schriften Martin Luthers.

In das heutige Deutsch übertragen, mit Einleitungen, 1983.

Burkard Waldis – Mönch, Zinngießer, Pfarrer und Dichter.

Sein Leben und Werk, 1984.

Ökumenisches Brevier.

1. Auflage 1985, 2. Auflage 1986.

OMEGA VERLAG KASSEL